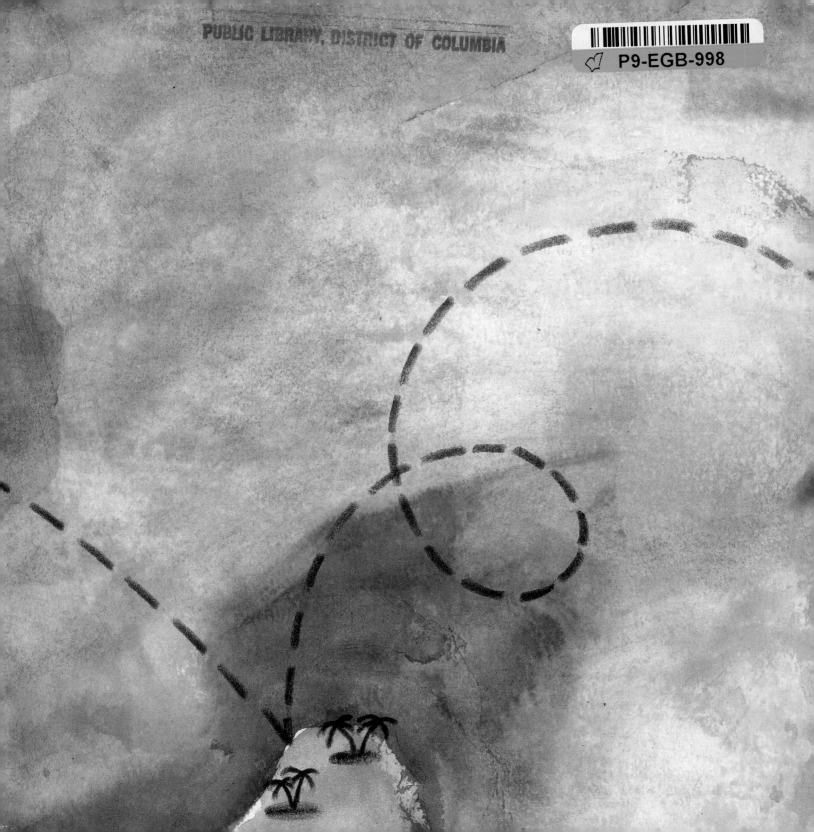

Título original: «O pirata Pata de Lata», 1998

Colección libros para soñar

© de la edición original: Kalandraka Editora, 1998
© del texto: Xosé Manuel González, 2007
© de las ilustraciones: Ramón Trigo, 2007
© de la traducción: Xosé Manuel González, 2007
© de esta edición:
Kalandraka Ediciones Andalucía, 2008
Avión Cuatro Vientos, 7
41013 Sevilla
Telefax: 954 095 558
andalucia@kalandraka.com
www.kalandraka.com

Impreso en C/A Gráfica
Primera edición: septiembre, 2008
ISBN: 978-84-96388-73-4
DL: SE 4130-2008

El pirata
Pata de Lata

Oli   Ramón Trigo

kalandraka

A ESTE FEROZ PIRATA

LE LLAMAN PATA DE LATA.

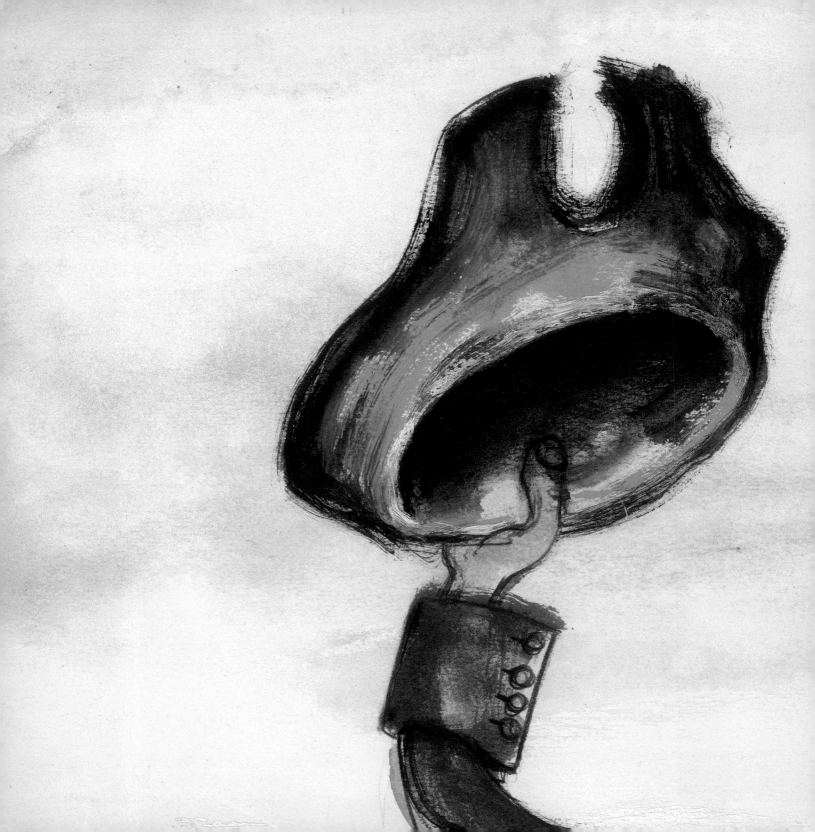

SIN VERGÜENZA NI SONROJO

SE PUSO UN PARCHE EN UN OJO.

LLEVA TAMBIÉN UNA ESPADA,

ALGO ROTA Y OXIDADA.

NAVEGANDO EN SU VELERO
VA Y RECORRE EL MUNDO ENTERO.

BUSCA SIEMPRE ALGÚN TESORO:
MUCHAS JOYAS, PLATA Y ORO.

TODA SU TRIPULACIÓN

ES EL LORO SIMEÓN.

En día tan soleado
el pirata está acostado
y un ruido espeluznante
lo llena todo al instante.

Al fin para de roncar

y decide despertar.

Se levanta decidido
dando gritos, divertido:

¡OH, QUÉ DÍA TAN RADIANTE!,
¡LUCHAR SERÍA EXCITANTE!

DE UNA A OTRA ORILLA DEL MAR
busca alguien con quien luchar.

PERO AQUELLO ES UN FRACASO
PORQUE NADIE LE HACE CASO.

A UN FANTASMA DESPISTADO
AMENAZA EL DESALMADO:

¡RÍNDETE, BICHO TRAIDOR!
¡NO TE MUEVAS, QUE ES PEOR!

Huyendo por las chalanas

quiere quitarle las ganas.

PERO ÉL, CON GRAN ALIVIO,

SE MANTIENE EN EQUILIBRIO.

SUFRE EL FANTASMA UN TORMENTO

Y SE RETIRA AL MOMENTO.

DA LA VUELTA EN UNA ESQUINA
Y YA SE ENCUENTRA EN LA CHINA.

CUANDO LA LUCHA LE CANSA

SE VA A SU BARCO Y DESCANSA.

SENTADO EN EL CAMAROTE
QUEDA COMO UN PASMAROTE.

PERO AL DARSE MEDIA VUELTA,
VA Y SE DUERME A PIERNA SUELTA.

Y es que, incluso, hasta soñando,
este tipo está luchando.

A este feroz pirata
le llaman PATA DE LATA.

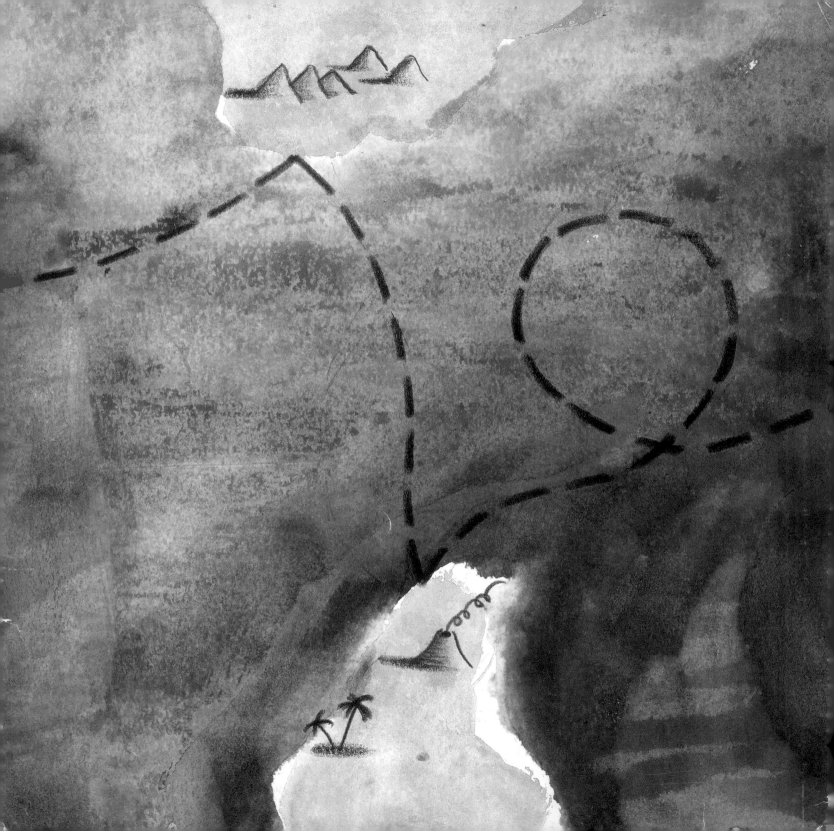